Mats en Marit

Wij mogen nooit wat!

Het reuzenfeest

Zwemmen als een zeehond

Feest in de straat

Piraat in het gips

Logeren bij opa!

*Actuele informatie over Kluitmanboeken
kun je vinden op **www.kluitman.nl***

Mats & Marit

Zwemmen als een zeehond

Debora Zachariasse

Tekeningen
Petra Heezen

Deze serie is eerder verschenen onder de serienaam De Warrels.

LEESN!VEAU

		ME	ME	ME	ME	ME		
AVI	S	3	4	5	6	7	P	
CLIB	S	3	4	5	6	7	8	P

Zwemmen

Toegekend door Cito i.s.m. KPC Groep

Oude systeem: AVI 3
Zie verder: www.kluitman.nl/educatie

Nur 287/L050905
© Uitgeverij Kluitman Alkmaar B.V.
© Tekst: Debora Zachariasse
© Illustraties: Petra Heezen
Omslagontwerp: Design Team Kluitman

www.kluitman.nl

Met kleren aan

„Schiet op, Mats!" roept Marit Warrel.

„Ik zie mijn zwemtas niet," roept Mats.

„Je hoeft geen tas mee," zegt Marit.

„We mogen met kleren aan!"

Mats sjokt boos de trap af.

„Grapje," zegt Marit.

„Met kleren is juist tof," zegt Mats.

„Maar daarna komt het diepe gat.

Dat lukt me nooit."

Het gat is echt diep, denkt Marit.

Dat vindt ze zelf ook.

Toch wil ze Mats troosten.

Want zij is de oudste.

„Kom op, Mats!" zegt Marit.

„Het lukt vast wel.

Let maar op."

Maar Mats kijkt nog steeds sip.

„Doe je jas aan, knul," zegt mama.
„We moeten hard fietsen.
Anders komen we te laat."
Ze fietsen keihard naar het zwembad.
Ze zijn maar net op tijd.
Mats doet snel zijn zwembroek aan
en Marit haar badpak.
Dan trekken ze weer kleren aan.
Ze gaan naar de haaien.
Zo heet hun groep.
Badjuf Tes staat al klaar.
„Spring er maar in," roept ze.
„Twee baantjes op je buik.
En terug op je rug."

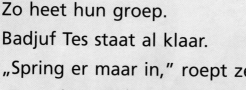

Marit springt erin.
Het voelt grappig met kleren aan.
Haar gympies zijn heel zwaar.
Voor haar zwemt Mats.
Zijn bloes staat bol.
„Leuk!" roept hij.
Marit knikt.

De vier baantjes zijn veel te snel voorbij.
Mats gooit zijn natte kleren uit.
Er ligt al een hele rij natte bergjes.
Marit maakt er nog een bergje bij.
Vlug rennen ze naar de rij.

9

Twee haaien

Dan haalt juf Tes de rode mat.
Onderin zit een groot gat.
Ze hangt de mat diep in het water.
„Zo, let nu goed op," zegt ze.
Mats krijgt het bloedheet.
Marit ook.
Ze moeten heel diep duiken.
En dan door dat gat zwemmen.
Dat lukt nooit, denkt Mats.
Het gat is te diep.
Juf Tes doet net alsof er niks aan is.
Maar zelfs Marit durft het niet.
En Marit durft alles.

„Kom op, Mats!" roept Marit.

Mats haalt diep adem.

Hij duikt.

En hij trapt met zijn benen.

Zo hard hij kan.

Hij maait met zijn armen.

Opeens is hij erdoor!

Daar is hij al weer boven water.

Hij klimt op de kant.

„Goed zo, Mats," zegt juf Tes.

„Jij mag naar de volgende groep.

Je bent voortaan een zeehond!"

„Yes!" roept Mats blij.

„Nou jij, Marit!"

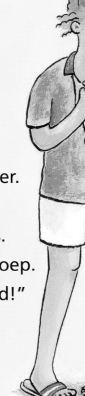

Marit kijkt naar Mats zijn rode kop.
Dan kijkt ze in het water.
Het gat is heel diep.
Ze kan het haast niet zien.
Echt diep.
Marits buik doet pijn.
Haar hart bonkt heel gek.
Het lijkt wel of de rode mat draait.
„Toe maar," zegt juf Tes.
„Duik er maar in."
Marit duikt.

Oei, wat is het gat diep.
Van schrik hapt ze naar adem.
Ze spartelt.
Haar mond zit vol water.
Ze wil gillen,
maar het lukt niet.
Ze heeft geen lucht meer!

Marit voelt hoe iemand haar vastpakt.

Het is juf Tes.

Oef, net op tijd.

„Geeft niks, hoor," zegt juf Tes.

„Probeer het nog maar een keer."

Marit gaat weer op de kant staan.

Maar haar benen voelen net als vla.

Ze wil wel.

Maar het lukt niet.

„Toe dan, Marit," zegt Mats.

„Ik kon het toch ook."

Maar Marit staart naar haar tenen.

Ze voelt zich super dom.

Juf Tes zegt: „Geeft niks, meid.

Volgende keer beter.

Het komt heus wel goed."

Mama staat al te wachten.

Ze krijgen elk een handdoek.

„Ik ben een zeehond!" roept Mats.

„Ik mag naar de volgende groep!"

„Wat goed," zegt mama.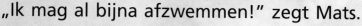

„En jij, Marit?

Hoe ging het?"

Marit zegt niks.

„Ik mag al bijna afzwemmen!" zegt Mats.

„Pfff, ik bijna ook," gromt Marit.

„Wat kijk jij boos," zegt mama.

„Zij durfde niet," vertelt Mats.

„Ik ben heus niet bang," zegt Marit.

Ze bromt nog wat.

Maar ze zegt niks meer.

De hele weg naar huis zegt ze niks.

Want Mats is een zeehond.

En zij is een bange haai.

Een sterk verhaal

Thuis is opa Warrel er.
Hij eet vaak met hen mee.
Dat is leuker dan in zijn eentje.
„Wat is mijn Marit stil," zegt opa.
Zijn stem klinkt heel lief.
„Ik moest door het gat," zegt Marit.
„Dat lukt me nooit.
En straks mag Mats al voor zijn A."
Ze slikt.
Opa geeft haar een knipoog.
„Ik heb niet eens een diploma, maatje."
Daar kijkt Marit van op.
„En jij was nog wel zeeman, opa!"
„Vroeger ging dat heel anders," zegt opa.
„Toen gooiden ze je zo in de plomp.
Met al je kleren aan."
„Nietes," zegt Marit.
Maar opa knikt.
„Eerst moest mijn broer," vertelt hij.
„Hij gilde en trapte.
En toen ging hij kopje onder."

15

„Niet geloven, hoor," zegt mama.

„Opa verzint het waar je bij staat."

„Echt waar, opa?" zegt Mats.

Opa knikt.

„Ja, en toen was ik aan de beurt."

„Wat deed je, opa?" vraagt Marit.

„Ik kroop vlug weg, maatje.

Hup, in de bosjes.

Mij niet gezien," zegt opa.

„En je broer dan?" vraagt Mats.

„Tja, dat liep niet best af," zegt opa.

„Toen ik hem weer zag,

was hij groen.

En hij kwaakte nog maanden."

„Echt?" vraagt Mats.

Opa knikt somber.

„Hij was een kikker!" lacht Marit.

„Dat is als je net begint!"

Nu lacht opa ook.

Hij geeft Marit een knipoog.

„Maar opa," vraagt Marit.
„Kun je dan nog niet zwemmen?"
„Zeker wel," zegt opa.
„Later heb ik het geleerd.
Van een mooie zeemeermin.
Ik zwom achter het grote schip aan.
Met een touw om mijn buik."

Marit weet wel dat het niet waar is.
Opa heeft altijd sterke verhalen.
Maar toch gelooft ze hem.
Want opa is haar vriend.

17

Door het diepe gat

Het is een paar weken later.
Ze zitten in het zwembad.
Marit, papa en opa.
Want Mats mag afzwemmen.
Mama kon niet mee.
Ze moest werken.
Het is druk aan de kant.
Ze konden nog net op de eerste rij.
Naast hen zit een klein kindje.
„Kimmie," zegt het kindje.
„Hoi Kimmie," zegt Marit.
Kimmie wijst naar het water.
„Mooi," zegt ze.
„Mag niet."
Marit lacht.

18

Het water lijkt wel een spiegel.
En het zwembad is mooi versierd.
Maar Marit vindt het toch niet eerlijk.
Zij kan ook goed zwemmen.
Met kleren aan, als het moet.
Alleen dat stomme gat is zo diep.
Dus nu is ze nog steeds een haai.

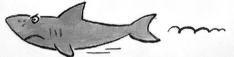

Daar komt Mats aan.
Hij heeft zijn zwembroek al aan.
En zijn kleren om in te zwemmen.
„Zou het goed gaan, pap?" vraagt hij.
„Denk je dat ik het haal?"
„Vast," zegt papa.
„Ook door het diepe gat?" zegt Mats.
Papa knijpt in zijn hand.
„Toe maar, maatje," knikt opa.
Mats loopt naar de kant.
Zijn gezicht is een beetje wit.
Hij vindt het ook eng, denkt Marit.
Er staat al een hele rij.
Vlug gaat Mats erbij staan.

Ze gaan eerst met kleren aan.

Mats doet het goed.

Hij staat al weer op de kant.

Juf Tes hangt de rode mat op.

Nu komt het, denkt Marit.

De mat met het diepe gat!

Mats is aan de beurt.

Marit springt op.

„Kom op, Mats!" roept ze.

Mats duikt van de kant.

Daar is hij bij het gat.

Hij haalt het!

„Bravo, Mats!" roept papa.

Hij klapt heel hard.

Marit zwaait.

Mats kijkt heel trots.

„Volgende keer jij," roept hij blij.

Ja, denkt Marit.

Ik doe het gewoon!

Ik ga ook door dat gat.

En dan mag ik ook voor A.

Kimmie

Marit kijkt om zich heen.
Wat is het druk...
De mensen juichen en kletsen.
Ze klappen en maken foto's.
Het kindje naast haar lacht.
Ze springt.
En ze klapt in haar handjes.
Heel lief.
„Kimmie," zegt ze tegen Marit.
„Ha die Kimmie," zegt Marit.
„Ik ben een haai!"
Ze gromt voor de grap.
Maar Kimmie schrikt.
Ze loopt gauw weg.
„Kimmie," zegt ze tegen opa.
Maar opa klapt net heel hard.
Het kindje loopt verder.
Niemand let op haar.
„Water," zegt ze.
„Mag niet."
Ze wijst met haar handje.

Opeens glijdt Kimmie uit.

Zo het water in.

Marit geeft een gil.

Kimmie gaat kopje onder!

Marit denkt niet na.

Zij springt er zo, hup, achteraan.

Met haar kleren nog aan.

Ze pakt Kimmie vast.

„Kom maar," zegt ze.

Marit brengt Kimmie naar de kant.

Haar kleren plakken.

Haar schoenen worden zwaar.

Maar ze houdt Kimmie goed vast.

De kant is vlakbij.

Daar staan papa en opa.

Ze pakken Kimmie aan.

Dan pas klimt Marit op de kant.

Ze kijkt verbaasd op.

Iedereen juicht.

Alleen Kimmie niet.

Die huilt heel hard.

klap
klap
kl

Er komt een man aanrennen.

Hij tilt Kimmie op.

Zijn hele vest wordt nat.

Maar het maakt hem niks uit.

Juf Tes komt er ook bij.

„U bent zeker haar vader?

Hoe kwam dat nou?"

„Geen idee," zegt de man.

„Ik maakte alleen even een foto."

Juf Tes kijkt een beetje boos.

„Ze gleed uit," zegt Marit.

„Het ging zo vlug.

Ik kon haar nog net pakken."

Ze rilt.

Haar kleren zijn kletsnat.

„Meid toch," zegt Kimmies vader.

Hij klinkt heel schor.

„Goed gedaan, Marit!" zegt juf Tes.

Juf Tes neemt hen mee naar achter.
Daar krijgt Marit warm drinken
en een pakje van Kimmies vader.
Het is een handdoek.
Een hele mooie met een dolfijn erop.
„Die mag je houden," zegt Kimmies vader.
Hij is nog schor.
„Die was voor Eva.
Dat is Kimmies zus, snap je.
Voor haar A.
Maar jij hebt hem echt verdiend."
Hij aait Kimmie over haar natte haar.
„Dank u," zegt Marit.
Ze is een beetje beduusd.
„Maar Eva dan?" vraagt ze.
„Eva krijgt wel een andere," zegt hij.
Marit drinkt haar beker leeg.
Maar ze rilt nog steeds.

Even later komt Mats eraan.
„Ik heb het gehaald!" roept hij.
Dan opeens moet Marit huilen.
Zomaar, van de schrik.
„Niet huilen, hoor," zegt Mats.
„Jij haalt het ook wel.
Zeker weten!"
Marit bibbert.
En dan lacht ze.

25

Tien keer vertellen

Het is een paar uur later.
Marit zit bij mama op de bank.
Lekker knus, met een deken om.
Marit vertelt alles.
En nog een keer.
Mama wil alles horen.

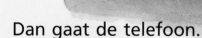

Dan gaat de telefoon.
En nog eens.
En nog een keer.
Iedereen belt!
En Marit vertelt.
Opeens begint ze te huilen.
„Wat is er dan?" vraagt mama.
„Toch is het gemeen," snikt Marit.
„Want Mats heeft zijn A en ik niet."

Weer gaat de bel.

Marit pakt de telefoon.

Maar ze hoort niks.

„Het is de bel!" roept Mats.

Hij rent naar de voordeur.

Er staat een man op de stoep.

„Hoi," zegt hij.

„Ik ben Wes.

Ik ben van de krant.

Heb jij dat kindje gered?

Goed gedaan, man."

Hij schudt de hand van Mats.

Maar Mats schudt zijn hoofd.

„Dat was mijn zus," zegt hij.

27

Marit droogt haar tranen af.
Ze moet weer alles vertellen.
Voor de tiende keer.
„Tjonge," zegt Wes.
„Gaaf, hoor."
Marit krijgt er een kleur van.
Wes maakt een hoop foto's.
Allemaal van Marit.
Mats kijkt sip.
„En ik?" vraagt hij.
„Kom ik er niet in?"
„Hoezo?" zegt Marit.
„Nou," zegt Mats.

„Ik heb mijn A."
Wes lacht.
„Goed, man."
Hij maakt ook een foto van Mats.
„Nou, je ziet het wel in de krant.
Morgen vroeg," zegt Wes.
„Doei."
„Doei, en bedankt," zegt Marit.
„Tot ziens," roept Mats.
Marit lacht weer.

De volgende dag zijn ze vroeg op.
Marit heeft de krant als eerste.
„Moet je zien, mam," roept Marit.
„We staan erin!"
Mats grist hem uit haar hand.
„Dappere haai redt leven," leest hij.
„Met een foto van Marit.
En ook een van mij!"
„Kijk, mam," roept Marit.
„We staan er allebei in.
Mats heeft zijn A.
Maar ik ben een Dappere Haai!"

Dappere haai redt leven